Jackie Niebisch

Advent, Advent, ein Plätzchen brennt ...

achterbahn
looping

Amadeus, der kleene Punker aus Berlin, lag in seiner Mülltonne und träumte gerade, er wär ein Bär. Es war nämlich Dezember und saukalt. Am liebsten hätte er ein warmes dickes Fell um seine Ohren gehabt und bis zum Frühjahr durchgeschlafen.
„Möchte ma wissen, wieso der liebe Jott den Menschen keen Pelz fürn Winter jemacht hat. Letzte Nacht hab ick ma fast den Hintern abjefrorn … Haaaaatschiiiech …"

Sein erster Versuch
sich von der Matte
hochzukämpfen
scheiterte kläglich.

Beim zweiten Anlauf – o grimmige
Kälte – kam er schon bis zum
Matratzenrand und beim
dritten Mal stand er, wenn auch
etwas klamm, in aufrechter
Position.

Als Erstes wünschte ihm sein knurrender Magen
Guten Morgen und Amadeus wusste, was das bedeutete.

Frühstück, ich komme!", rief er dann seinem Adventskalender zu und steuerte zielsicher die mit Schokolade gefüllten Fenster an.
In letzter Zeit kam es öfter vor, dass seine überraschten Augen keine Schokolade vorfanden. Dann fiel ihm wieder ein:
„Muss ick wohl schon ma uffjemacht ham!"
An sich sind Adventskalender eine nützliche Orientierungshilfe. Man kann genau dran abzählen, wie viele Tage es noch bis Heiligabend sind. Doch Amadeus hatte schon längst die Übersicht verloren. Er wusste nur, dass es irgendwo um Weihnachten war. Konnte man ja außerdem am Schnee sehen, der ab und zu fiel.

Normalerweise können Kinder den 24. kaum erwarten, aber für Amadeus lag alles noch in weiter Ferne und wenn seine Freunde ihn fragten, wat haste vor an Heilichabend?, sagte er immer, streich ick meene Tonne an oder räum uff …

An Weihnachten aufräumen! Als ob das ein ganz normaler Tag wär!

„Is 'n stinknormaler Tag!"

Von wegen! Da feiert man mit der Familie und packt Geschenke aus.

„Und wenn man keene Familie hat? Wat is dann?"

Dann hat man doch vielleicht noch irgendwo eine Oma, die sich liebevoll um einen kümmert, oder?

„Stimmt! Jenau. Jetz' fällts ma wieder ein!"

Und ob Amadeus eine hatte! Eine echt nette. Wohnte zwar 'n bisschen weit weg, im „Schwabe-Ländle", aber sie hatte ihm bis jetzt immer ein dickes, leckeres Weihnachtspaket geschickt. Jedes Jahr. Und immer einen 20-Mark-Schein drin versteckt. Wie konnte er das nur vergessen? Er wurde ganz rot im Gesicht.

„Mensch, stimmt ja! Meene Oma!"

Es war höchste Zeit, dass er sich auf die Socken machte um ihr auch ein Geschenk zu besorgen.

„Ick bin doch keen undankbarer kleener Punker!"

Er dachte gerade nach, was er ihr schenken könnte, als seine Kumpel Hübi, Pinke und Alex bei ihm anklopften.

Hallo, Keule!", riefen sie. „Wir wollten mal kurz vorbeikieken, wegen die Probe fürs Krippenspiel." Ach ja, das Krippenspiel. Amadeus hätte es beinahe verschwitzt.

„Sagt ma, hat einer von euch 'ne Idee, wat ick meena Oma zu Weihnachten schenken kann?"
„Deiner Oma? Soweit ick jehört hab, stehn alte Leute uff wat Festlichet. Schenk ihr 'n Mercedes-Stern."
„Hattse schon letztet Jahr jekriegt!"
„Oder 'n Autoreifen. Vier Kerzen ruff, fertig is der Adventskranz!"
„Wie wärs mit 'nem kleenen Mobile aus Coladosen? Is billig und klappert schön."
Amadeus war noch nicht begeistert. „Also, ick weeß nich …"

Vielleicht könnte ja ein Blick in die Schaufenster helfen. Dann würden sie schon auf eine Idee kommen, was A. seiner O. schenken könnte.
Die kleenen Punker mussten sich sowieso noch mal ins Weihnachtsgedränge stürzen um Adventskränze auszutragen. Sie hatten nämlich gerade einen neuen Job, und zwar bei Blumen-Kratzke.

War es in der U-Bahn oder im KaDeWe? Irgendwoher stieg ein süßer Duft auf und setzte sich in Amadeus' Nase fest. Es roch nach Schokolade und Lebkuchen. Und dieser Duft … hm, riecht det lecker … brachte Amadeus auf die Idee mit den Plätzchen.

„Jenau! Ick werd ihr wat backen, meena Oma. Wat zum Knabbern is immer jut."

Da er sich im Backwesen nicht auskannte, fragte er die anderen, ob es besonders schwer sei.

„Backen? Det is leicht. Nimmste Teig und schiebst in' Ofen."

„Woher weeßt'n det so jenau? Haste schon mal selber wat jemacht?"

„Nich direkt. Aber ick hab immer die Schüssel ausjeleckt!"

Nach der Devise: Willst du backen, besorg dir ein Rezept, marschierten sie in die nächste Buchhandlung und blätterten die Backbücher durch. Am leckersten sahen die Honigplätzchen aus … goldbraun und knusprig … sodass Amadeus fast die Seite angeknabbert hätte.
Neben den leckeren Bildern stand jedesmal eine Menge Kleingedrucktes.
„Wat die allet ham wolln!", staunte er. „Kiek ma, wat hier steht: Zutaten für den Teig. Eine Packung Backmischung, 75 g Honig, 75 g Margarine, dann Dosenmilch zum Bestreichen. Kannste ooch vaziern. Hör ma, jehackte Mandeln, Pistazien, meene Oma kriegt feuchte Augen, sag ick dir, bunte Zuckerperlen, hmm! Belegkirschen, wat is 'n det? Brauchste da 'ne Quittung für?"

Das dicke Buch kaufen wegen einmal Plätzchen backen, wäre viel zu teuer gewesen. Sie überlegten, ob sie die Seite heimlich rausreißen sollten ... „Hätten wa natürlich wieder zurückjebracht, kleenet Ährenwort!"

... da aber die Augen der Verkäuferin überall waren, nahmen sie das Rezept einfach auf Cassette auf. Hübi las den Text laut vor, während Amadeus seinen Walkman mitlaufen ließ.

Während die anderen sich wieder um die Verbreitung der Adventskränze kümmerten, machte Amadeus sich auf den Weg die Zutaten zu besorgen. Was wesentlich leichter war als die Zubereitung, bei der es erste Verständigungsschwierigkeiten gab.
„Untawegs hab ick mir det Rezept noch 'n paarmal rinjezogen um det allet zu kapiern. Aber wat iss 'n Knethaken? Kann mir mal eena sagen, wat 'n Knethaken is?"
Das letzte war natürlich eine lautgestellte Frage in der U-Bahn. Da gibt es immer ein paar nette alte Damen, die man zwischen Wittenbergplatz und Kottbusser Tor um Rat fragen kann.

„Die Knethaken nimmt man zum Durcharbeiten des Teigs. Steckt man in ein Handrührgerät."
„Und wenn man keen so 'n Umrührdingsbums hat, kann man det ooch mitte Hand machen?"
„Aber selbstverständlich. Du bist ja noch jung und kräftig!"
Amadeus' Wissensdurst war noch nicht gestillt.
„Wat heißt 'n bemehlte Arbeitsfläche? Wat soll ickn mir darunter vorstelln?"

Mit rührender Geduld versuchte die Damenriege ihm alles zu erklären. Nur eine von ihnen war nicht gut auf Amadeus zu sprechen:
„Ich würde diesen Schlingeln keine Tipps verraten!" Sie erzählte allen Fahrgästen von der berüchtigten Tortenschlacht im Café Kranzler und warnte davor, dass die kleenen Punker die Rezepte nur missbrauchen würden um anderen Leuten Torten ins Gesicht zu schmeißen.
„Wat heißt hier Torten schmeißen?", verteidigte sich Amadeus. „Erstens sind det Honigplätzchen, zweitens bleiben die sowieso nich im Jesicht kleben und drittens soll det 'n Jeschenk für meene Oma im Schwarzwald werden!"

Amadeus hätte gern noch gewusst, was ein Backtrennpapier ist, aber er musste schleunigst den Zug verlassen. Der Grund: Ein paar Kontrolleure standen plötzlich in der Tür …
„Und icke hatte ma wieder keen Faaschein dabei."

Durch tägliches Training geübt konnte er über die glattgefrorenen U-Bahn-Stufen seinen Verfolgern leicht entkommen. Er war so gut in Form, dass er sogar noch pünktlich zur Probe kam.

Wenn Krippenspiel angesagt ist, wollen immer alle das Christkind spielen. Nichts gegen Maria & Joseph oder die Heiligen Drei Könige. Aber als Jesuskind ist man im Mittelpunkt und braucht dabei nicht mal viel Text zu lernen. Auch bei den kleenen Punkern war der Andrang so groß, dass die Würfel entscheiden mussten. Schließlich war Hübi mit drei Sechsen der Glückliche. Er musste nur die zwei Worte **Mehr Stroh!** auswendig lernen und konnte die übrige Zeit gemütlich in der Krippe liegen. Um keinen falschen Neid aufkommen zu lassen, warnte er jedoch davor die Rolle zu unterschätzen. Hübi: „Det kommt nich uff die Menge vom Text an, sondern uffn Ausdruck! Eene falsche Betonung und det janze Stück is ruiniert!"

„Jetzt übertreib ma nich, Alter!"

„Wat heißt hier übertreiben?! Anjenomm, ick sag: **Mehr** Stroh, dann heißt det soviel wie, Jesus friert und will mehr davon. Wenn ick aber die Betonung uff **Stroh** lege, dann heißt det, dass er exakt Stroh will und keen Heu oder Windeln oder wat ..."

Nach den künstlerischen mussten die technischen Probleme gelöst werden. Kostüme aufzutreiben war noch am einfachsten, da man davon ausgehen konnte, dass alle mit Lust und Liebe ihre heißesten Klamotten zusammenraffen würden. Was die Kulissen betraf, standen ebenfalls genügend in der Gegend herum. Komplizierter war das Einfliegen des Engels, der die frohe Botschaft überbringen sollte. Entweder mit Rolle übers gespannte Drahtseil ...

„Wat is mit Flaschenzug?"
… oder mit einem Drachen
von der Mauer springen.
So oder so, das würde sicher
eine Menge Geld und Material
kosten. Im Notfall könnte er ja auf dem Fahrrad erscheinen.
Kopfzerbrechen bereitete auch die Herstellung des
Heiligenscheins. Sollte man dafür extra ein Gerüst bauen?
Und was wäre auf der Flucht nach Ägypten? Dann müssten
immer vier Leute das Gestell hinterhertragen.

Dann lieber doch die schlichte Version, wie sie Alex vorschlug:
Besenstiel mit goldener Pappe obendran plus ein Hirte, der
ihn hochhält.
„Wennde mich fragst, ick hätt noch 'ne kleene Glühbirne
einjebaut …"

Die kleenen Krippenpunkis hatten jetzt alles zusammen: Windeln, Kulissen, Farbe für den Weihnachtsstern. Nur Schafe und Hirten fehlten noch. Aber woher nehmen und nicht aus der Lüneburger Heide stehlen?
Amadeus schlug vor Raffke und seine Rattenbande anzuheuern.
„Aber wie ick die Viecher kenne, machen die det bestimmt nich umsonst."

Er ging zu ihrem Hauptquartier am Landwehrkanal und versuchte ihnen die Sache schmackhaft zu machen.
„Hört ma, Leute, wir brauchen dringend noch 'n paar Krippenfiguren und ham dabei an euch jedacht."
Kleine Bedenkpause bei Raffke, dann: „Hm, ihr macht also een uff Krippenspiel. Nich schlecht. Aber wat soll ick als Ratte dazu sagen? Sieht doch jeder, dass wa keene Schafe und Hirten sind." Amadeus erklärte, dass alles da sei, was sie zum Verkleiden brauchten: rosa Flokati, Umhänge und sogar Hirtenstäbe.
„Na schön. Wollemäßig scheint allet jeregelt zu sein. Aber wie sieht's knetemäßig aus? Allet is teurer jeworden, Lebenshaltungskosten, Müll, Tierärzte …"
Amadeus zuckte mit den Schultern.
„Det hängt janz vonne Einnahmen ab."
„Vonne Einnahmen? Augenblickchen mal …"
Raffke und Co zogen sich in ihr Kanalbüro zurück um nach kurzer Beratung folgendes Vertragsangebot zu präsentieren:

„Also jut, wenn wa die Schafe- und Hirtennummer übernehm, wolln wa 10 Prozent der Bruttoeinnahmen. Bei mehr als 100 Zuschauern 11 Prozent und für jede weitere Aufführung 12 Prozent …"

„So viel?", wunderte sich Amadeus. „Ihr braucht ja nicht mal Text auswendig zu lernen! Nur dastehen und mit euren Blicken dem Stern folgen!"

„ … det is noch nich allet: Des Weiteren 5 Prozent der Filmrechte … für den Fall, dass ihr 'n Hollywoodfilm daraus macht. Zusätzliche Vereinbarungen: Wolle und Hirtenschmuck werden kostenlos zur Verfügung gestellt. Eine Verpflichtung zum Singen von ‚Kommet ihr Hirten' entfällt."

Amadeus fand das glatten Wucher. Aber was blieb ihm anderes übrig als zu unterschreiben? Eine Weihnachtsaufführung ohne Krippenfiguren, das wäre wie … ein Baum ohne Lichter gewesen, wie ein Knecht ohne Ruprecht …

Nachdem die Vertragsverhandlungen abgeschlossen waren, konnten die kleenen Punker Datum und Ort des Geschehens der göttlichen Niederkunft öffentlich bekanntmachen.
Mit Hilfe einer nächtlichen Sprühaktion und natürlich mit viel, viel Mundpropaganda.

„Sagt allen Bescheid und vergesst nicht eure Freunde mitzubringen. Für die Massenszenen könn' wa noch jede Menge Leute jebrauchen."

Amadeus musste plötzlich wieder an seine Plätzchen denken. Wenn er sie bis Weihnachten schaffen wollte, musste er jetzt schnellstens den Teig fertig machen.

Zu diesem Zweck veranstaltete er in seiner Tonne eine kleine Backfete.
Die Zutaten für das UNTERNEHMEN HONIGPLÄTZCHEN hatte er schon organisiert. Jetzt hieß es nur noch Schritt für Schritt der Beschreibung aus dem Backbuch folgen. Damit alle mithören konnten, ließ er seine Back-Cassette über die großen Boxen laufen:

„… Zubereitung: Backmischung, Honig und Margarineflöckchen mit den Knethaken des Handrührgeräts kurz auf niedrigster Stufe, dann auf höchster Stufe durcharbeiten …"
„Habta det jehört? Margarineflöckchen! Wie mach ick Margarine zu Flöckchen? Bin doch nich Frau Holle!"
Amadeus nahm einfach sein Pfund Rama und ließ sie quetschglibber-würg durch seine Finger in die Schüssel tropfen.
Dann vermengte er alles mit der Backmischung und dem Honig um anschließend zum gemeinsamen Kneten aufzurufen.
Schleckermäuler, die sie nun mal waren, wurde die Teigmasse im Verlauf der Backfete immer kleiner.
„He, nich allet ufffressen!"
„Wat denn, wat denn, Schüssel auslecken is laut Rezept nich vaboten, oder?"

Auf diese Weise wanderten unzählige Plätzchen in die Mägen der Punker, ohne je das weihnachtliche Licht erblickt zu haben. Aber – o heiliges Backwunder – zum Schluss blieb doch genügend übrig, was wie ein fertiger Teig aussah. Laut Back-Cassette sollte dieser nun

„auf einer bemehlten Arbeitsfläche dünn ausgerollt werden …"
„Jut, dat ick große Boxen habe!"
„ … um anschließend in Plätzchenform auf dem Backblech
zu landen."
„Ey, stop ma die Cassette! Haste nich jehört? Backblech is dran!"
„Au Backe! So wat hab ick überhaupt nich! Wo kriegt man
so wat her?"
Sie würden sicher noch irgendwo eins besorgen können, beim
Trödler oder notfalls 'ne Motorhaube vom Schrottplatz.
Doch jetzt mussten sie sich erst mal beeilen um rechtzeitig zum
Krippenspiel zu kommen.
„Und wat is mit dem Teig?
Wo soll der solange hin?"
Amadeus überlegte einen
Moment, dann hängte er ihn
einfach über die Box.

31

… und dann ging's los. Als genügend Publikum zusammen war und die Stimmung auf dem Höhepunkt, are you ready? und alle Yeah! riefen, präsentierte die Little Punk Production ganz proudly ihren one and only: Dschieses Creist Hinterhofstar! Live und in voller Krippengröße!

1. Akt
Lukas, 1,26 – 38

Der Engel Gabriel wurde von Gott nach Nazareth gesandt zu Joseph & Maria. Er hatte gute Nachricht für sie: Fürchte dich nicht, du wirst schwanger werden und einen Sohn bekommen mit Namen Jesu.

„Aber ick hab doch ja nüscht jehabt mit Josef!"
„Freue dich, der Heilige Geist ist über dich gekommen.
Er ist voll gut drauf!"
„Det passt uns aber überhaupt nich im Moment. Keene Knete,
keene Wohnung …"
„Don't worry Josef, be happy!"

2. Akt
Lukas 2,1 – 20

Es begab sich aber zu der Zeit, dass alle Welt geschätzet wurde.
Und jedermann ging, dass er sich schätzen ließe, ein jeglicher
in seine Stadt. Auch Joseph mit Maria, seinem vertrauten Weibe.

Die war schwanger.
„Voll rund meen Bauch. Ick gloob, ick krieg die Wehen.
Kiek ma nach, ob du nich 'n Platz zum Entbinden findest."
„Allet besetzt, Maria. Brücken, Bänke, Jebüsche, allet vermietet,
U-Bahnhöfe jeschlossen.
Ick gloobe, wir müssen 'ne
Open Air Jeburt einleiten."

Und sie gebar ihren ersten Sohn, wickelte ihn in Windeln und legte ihn in einen Einkaufswagen, denn sie hatten sonst keinen Raum …

… und es waren Hirten in derselben Gegend auf dem Felde, die hüteten des Nachts ihre Herde.
Als der Engel erschien, fürchteten sie sich sehr. Aber der Engel sprach: Fürchtet euch nicht, euch ist heute der

Heiland geboren und dies habt zum Zeichen: Ihr werdet finden das frierende Kind in Windeln gewickelt in einem krippenähnlichen Gefährt.

Und alsbald war bei dem Engel die Menge der himmlischen Heerscharen, die lobten Gott und sprachen: Friede auf Erden und den Menschen ein Wohlgefallen.

3. Akt
Matthäus 2,1 – 11

Da kamen die Heiligen Drei Könige aus dem Morgenland und sprachen: biz yildizi gördük? Yeni doğan kral nerede? Und als sie das Kind sahen, taten sie ihre Schätze auf und brachten ihm Legosteine, Cassettenrecorder und ein paar Gameboys.

Als das der böse Herodes hörte, erschrak er und versammelte alle Hohepriester um sich, denn er war neidisch und wollte selber gerne die ganzen Geschenke haben.
Also schickte er seine Soldaten nach Bethlehem. Dort befragten sie alle Hirten und Schafe in der Gegend:
„Habt ihr Maria & Joseph gesehen? Mit Christkind natürlich!"
„Wir? Wen jesehen? Nie jehört!"

„Und was ist in der Mülltonne drin?"
„Nur Müll, edler Römer."
„Und der Heiligenschein? Wo kommt der her?"
Und sie antworteten: „Äh, det is nur 'n Wurfring. Echt, ey!"

Da wurden die Soldaten grimmig vor Zorn, was soll diese
scheinheilige Erklärung. Wir werden euch wegen Fluchthilfe
festnehmen, und drohten ihnen Schreckliches. Sodass die
Hirten keine Ausrede mehr hatten.
Da erschien abermals der Engel und wollte die Feinde in die
Irre führen mit den Worten: „Die ihr sucht, sind längst
entkommen …"

Aber die Soldaten schenkten ihm keinen Glauben, da der Müllcontainer plötzlich voller Stimmen und des versteckten Jesuleins war. Es begann ein großes Verfolgen und Fliehen über Kreuzungen und Rotlicht-Ampeln, durch Eis und Schnee und Berg und Tal bis hin zum rettenden Straßenrand.

Da erklärte ihnen der Engel abermals, dass Maria & Joseph durch den Gullydeckel entkommen seien, auf dass sie erkennen mussten, dass jegliche weitere Verfolgung sinnlos sei.
So konnte das Christkind doch noch gerettet werden …
„Und wenn Ihnen det Stück jefalln hat, dann spendiern Se 'ne Maak."

Der letzte Satz stand natürlich nicht in der Bibel, sondern stammte von Amadeus, der den Hirtenhut herumreichte, auf dass er voll würde.
Es gab viel Beifall für das Stück, besonders für einige kleine Pannen während der Aufführung, z. B. die Szene, wo der Heiligenschein ausging, weil die Batterie alle war, oder als das Christkind, nachdem es „Mehr Stroh!" gerufen hatte, laut schrie: „Aua, det piekt aber!"
Trotz des Erfolgs steckten die kleenen Punker am Ende in den roten Zahlen. Kein Wunder bei dieser aufwendigen Produktion. Viel Farbe verschwendet, dann die ganzen Massenszenen. Zu allem wollte Raffke sofort seine Gage ausbezahlt bekommen. Amadeus blieb nichts anderes übrig als ihn um Kredit zu bitten, denn er brauchte selber noch ein bisschen Geld. Für Geschenkpapier, Briefmarken und vor allem für ein Backblech.

„ 'n Backblech brauchste? Det könn wa dir ufftreiben. Musste uns aber 'ne kleene Teigprobe jestatten."

Raffke und seine Spezialisten hatten keine Probleme das gewünschte Teil sofort aufzutreiben, genausowenig wie anschließend den halben Teig wegzuputzen.

„Wenn det so weiterjeht", stöhnte Amadeus, „muss ick meene Plätzchen bald nummerieren …"

D er nächste Tag sollte Groß-Back-Tag sein. Um in der Weihnachtshektik nicht die Übersicht zu verlieren, hatte Amadeus sich einen Spickzettel gemacht: Backofen suchen, Karton bei Aldi besorgen, Paket packen, dann zum Postamt. Geld für Porto nicht vergessen!

Er klemmte sich das Blech untern Arm und machte sich auf den Weg zu Kratzkes Blumenladen.
Er wusste, dass im Hinterzimmer ein alter Backofen stand, den man sicher noch anwerfen konnte.
Doch er hatte sich zu früh gefreut. Als er nämlich den Laden betrat, war Kratzke gerade dabei, seine kleenen Angestellten wegen ständigen Herumstehens und Quatschens zu kündigen. Außerdem beschwerte er sich darüber, dass sie die Adventskränze nie ordentlich austragen würden.

„Ham wa doch immer korrekt abjeliefert, oder?"
„Von wegen! Hundertmal habe ich euch gesagt, dass ihr sie nicht anzünden sollt! Aber nein! Was macht ihr? Ihr steckt alle Kerzen an und lauft wie Ayatollahs durch die Gegend!"
„Is doch jute Leuchtreklame!"
„Und die Wachstropfen hier? Überall klebt das Zeug! Kriegt doch kein Schwein mehr ab!"

Hübi versuchte noch Herrn Kratzke einen praktischen Tipp zu geben: „Machense det wie Allah: Löschblatt auf den Boden legen und mit heißem Bügeleisen drüberfahrn."
Doch das verzögerte die fristlose Kündigung nur um
20 Sekunden.
„Also jut! Vajessen wa den Blumenladen. Aber wat is mitte Plätzchen von Amadeus? Wie ick det einschätze, brauchen die dringend Hitze!"

Die letzte Rettung war Oma Neumann in Wilmersdorf, eine hilfsbereite alte Dame, bei der Amadeus einmal in der Woche als Putzhilfe tätig war.
„Die hat bestimmt 'n Backofen!"
„Und 'n weichet Herz!"
So war es dann auch.
Oma Neumann brachte es nicht fertig die kleenen Punker abzuweisen, obwohl sie dabei ein recht ungutes Gefühl hatte.
„Ihr seid doch diejenigen, die mir letzten Sommer beim Saubermachen die Wohnung unter Wasser gesetzt haben ... ?"
Aber ausnahmsweise und ganz besonders weil Weihnachten war, drückte sie ein Auge zu und öffnete ihnen Herz und Herd.

Wer weiß, wie schön und lecker die Plätzchen geworden wären, wenn Oma Neumann zu Hause geblieben wär. Mit den Worten: Bin gleich zurück, lief sie schnell noch mal aufs Postamt um ihre Rente abzuholen. Die kleenen Punker ließ sie sicherheitshalber im Treppenhaus warten.

Dort die Plätzchen, hier die Punkis und in der Schalterschlange Oma Neumann. Das konnte laut Backbuch bei 175 Grad höchstens acht Minuten gutgehen. Alles, was danach kam, war verkohlter Geruch.

Zuerst hatte es noch honigsüß durch die Tür geduftet. Doch allmählich wandelte sich das Aroma von honig-bitter über honig-verschmokelt zu honig-verkokelt-verbrannt. Bis nach einer Stunde die ersten Wölkchen durchs Schlüsselloch qualmten.

„Hilfe, meene Plätzchen!" Amadeus trommelte verzweifelt gegen die Tür. „Meene Plätzchen! Feuerwehr!"

Statt der Feuerwehr tauchte endlich Oma Neumann wieder auf.
„Heiliger Herd!", rief sie entsetzt. „Meine Wohnung brennt!"
Sie tastete sich durch die Rauchschwaden, riss die Fenster auf und stellte den Ofen wieder ab. Als sich der Qualm verzogen hatte, sah zum Glück alles nur halb so schlimm aus.
Aber armer Amadeus. Von einer Woche Backarbeit waren nur ein paar koksähnliche Gebilde übrig geblieben.
„Sehn echt aus wie Eierkohlen …"

Was sollte er nun seiner Schwarzwald-Oma schenken? Er versuchte noch mit Zuckerguss und ein paar bunten Perlen den Gesamteindruck zu verbessern, aber als er sah, dass seine Plätzchen nicht mehr zu retten waren, schnappte er sich kurz entschlossen das Backblech, wickelte es in Geschenkpapier ein, machte ein kleines Päckchen daraus und schrieb ihr folgenden Brief:

Berlin, Mülltonne
23. 12. 94

Liebe Oma

mein Geschenk kommt
vielleicht etwas spät. Hat
aber alles so lange gedauert
diesmal. Ne Menge
ist schiefgegangen. Und
wegen dem Krippenspiel
hatte ich auch wenik Zeit.
Ich hoffe trotzdem, das
Backblech gefällt Dir!
Da kannst Du eine Menge
Plätzchen drauf backen.
Viele Grüße und ein
voll geiles Fest wünscht
Dir Dein kleena
Amadeus
aus Berlin

Amadeus hat einen Durchhänger.
Ort: Mülltonne, Berlin
Datum: 24. Dezember
Gefühl: Etwas flau in der Magengegend, aufkommende Schauer, vereinzelte Leere im Kopf. Besonders bei dem Gedanken, was tun heute abend, wenn überall Bescherung ist. Amadeus hätte zwar bei Hübis Familie mitfeiern können, oder bei den Eltern seiner anderen Kumpel, aber das war ihm geschenke- und mitbringselmäßig zu kompliziert.

Bleib ick lieber zu Hause und streich meene Tonne."
Da er im Weihnachtstrubel vergessen hatte, Farbe zu besorgen, musste er noch schnell zum Heimwerkermarkt. Der Verkäufer fragte, was es denn sein sollte, Dispersionsfarbe, Lacke, Rauhfaser. Aber das war Amadeus egal. Hauptsache schwarz.
„Soll ich's Ihnen als Geschenk einpacken?"
„Keene schlechte Idee, freut sich meene Mülltonne …"

Als Amadeus nach Hause kam, lag dicker Schnee auf den Straßen und aus allen Fenstern klang es „Kling Glöckchen Klingelingeling". Nur aus seinem Fenster klang nichts. Es war dunkel und niemand war zum Feiern gekommen. Seine Tonne empfing ihn mit den Worten: He, alter Junge, heiz mal wieder, ich bin kalt. Und der Kaktus nörgelte: Hab mir fast die Stacheln abgefroren.

Als auch noch die Glocken zu läuten anfingen, war ihm auf einmal nach einer Heavy-Metal-Cassette zumute. Er drehte seine Anlage so weit auf, dass er beinahe das Klopfen an seiner Tonne überhört hätte.
„O nein!!! Müllabfuhr am Heilichabend. Die schrecken ooch vor nüscht mehr zurück."
Da erklang eine tiefe Stimme, die eigentlich gar nicht so tief war, sondern nur so tat. Und die sich sehr nach Nagetier anhörte!
„Häppi Chrismäs, hier spricht der Weihnachtsmann …",
sodass Amadeus vor Freude aufsprang.

„Raffke, ick hab dich erkannt, und det Paket dazu. Von meene Oma ausn Schwarzwald."
Raffke und seine Rattenbande hatten es in Amadeus' Abwesenheit in Empfang genommen und unter allergrößter Zurückhaltung ihres Fresstriebs für ihn aufbewahrt. Doch jetzt, als der Abend gerettet war, legten sie jede vornehme Scheu ab und futterten sich, zusammen mit Amadeus, im Eiltempo durch Lebkuchen und Schokoladenherzen.

Sie knackten alles, was wie Nüsse oder Mandeln aussah, mampften die Marzipane gleich brotweise und zerratzelten die großen roten Äpfel.

Nach fünf Stunden Fressen und Feiern waren sie so geschafft, dass sie einer nach dem andern umfielen und an Ort und Stelle zwischen Krümeln und Nussschalen einnickerten. Amadeus wollte sich ihnen anschließen, aber

Raffke und sein Schnarchorchester waren so laut, dass er sich erstmal links und rechts eine Marzipankugel in die Ohren stecken musste. Das Rassel-Quartett und die Säge-Arie drangen so nur noch weihnachtlich gedämpft an sein warmes Ohr …

Jackie Niebisch auf der Achterbahn

Geld sparen, Schwarzfahren!

Amadeus, der kleene elternlose Punker aus Berlin, und seine Kumpel haben es nicht leicht: Denn Schaffner, Polizisten und brave Bürger haben meist kein Verständnis für Schwarzfahren, Schnorren oder für die Punkmusik der NETTEN VERSUMPFTEN JUNGS AUS DER HÖLLE – erst recht, wenn die Band mit geklauten Instrumenten spielt.

Der kleene Punker aus Berlin
64 Seiten, ISBN 3-89719-037-0
DM 19,80 / öS 145,00 / sFr 19,80

Es ist ein Punk entsprungen!

Amadeus ist voll im Weihnachtsstress: Das Punkkrippenspiel macht Probleme. Und was schenkt man der Oma? Einen selbst abgebrochenen Mercedesstern gabs schon im letzten Jahr. Der Versuch das Ganze noch zu übertreffen endet allerdings in einem flammenden Vorweihnachtsinferno ...

Advent, Advent, ein Plätzchen brennt ...
64 Seiten, ISBN 3-89719-038-9
DM 19,80 / öS 145,00 / sFr 19,80

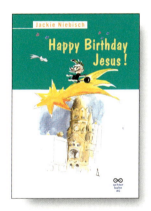

Lasst uns froh und bunter sein!

Heiligabend und mal wieder völlig pleite: Geld muss her, aber wie? Amadeus und seine Punkerkumpel gründen die „Erste Alljemeine Berliner Bescherungs-Truppe" und sorgen als Mietweihnachtsmänner für ultimatives Bescherungschaos.

Die kleenen Weihnachtspunker
64 Seiten, ISBN 3-89719-040-0
DM 19,80 / öS 145,00 / sFr 19,80

Happy Birthday, dear Dschieses!

Kaum zu glauben, aber wahr: Beim Schnorren im vorweihnachtlichen Berlin trifft Amadeus, der kleene Punker, auf Jesus und hilft ihm durchs moderne Weihnachtschaos. Das verhindert aber nicht, dass die beiden „Freaks" aus der Gedächtniskirche geworfen werden und wegen Schwarzfahrens im Kittchen landen. Aber das ist längst noch nicht alles …

Happy Birthday Jesus!
64 Seiten, ISBN 3-89719-039-7
DM 19,80 / öS 145,00 / sFr 19,80

Es gibt noch mehr Bücher von Jackie Niebisch:

Die Schule der kleinen Vampire
Die Prüfung

Ein großer Tag im Leben der kleinen Vampire steht bevor: Die Prüfung zum Vampitur, auch "Mittlere Blutreife" genannt.

96 Seiten. ISBN 3-473-34991-7
DM **16,80**/öS 123,-/SFr. 16.80

Die Schule der kleinen Vampire
Der falsche Vampir

Richtig schön gruselig muss ihr Schneemann aussehen, meinen die kleinen Vampire: Ein Gebiss muss her!

96 Seiten. ISBN 3-473-34992-5
DM **16,80**/öS 123,-/SFr. 16.80

Die kleine Fußballmannschaft
Der Schrecken der Kreisliga

Tagung vor dem Sportgericht: Die Vorwürfe gegen die kleine Fußballmannschaft gehen von A wie Angsteinjagen bis Z wie Zurücktreten.

60 Seiten. ISBN 3-473-34993-3
DM **16,80**/öS 123,-/SFr. 16.80

Jetzt bei Ravensburger!